U0065570

獻給莫嘉
身材雖嬌小，才能無限大。

—— F.P

Si petit

你這麼小

文．圖｜弗羅希安．皮傑　譯｜謝蕙心　責任編輯｜陳毓書　美術設計｜林家蓁　行銷企劃｜高嘉吟
發行人｜殷允芃　創辦人兼執行長｜何琦瑜　總經理｜王玉鳳　總監｜張文婷　副總監｜黃雅妮　版權專員｜何晨瑋

出版者｜親子天下股份有限公司　地址｜台北市 104 建國北路一段 96 號 11 樓　電話｜（02）2509-2800　傳真｜（02）2509-2462
網址｜www.parenting.com.tw　讀者服務專線｜（02）2662-0332　週一～週五：09:00~17:30　傳真｜（02）2662-6048
客服信箱｜bill@service.cw.com.tw　法律顧問｜瀛睿兩岸暨創新顧問公司　總經銷｜大和圖書有限公司　電話：（02）8990-2588
出版日期｜2020 年 2 月第一版第一次印行　定價｜260 元　書號｜BKKP239P　ISBN｜978-957-503-529-7（精裝）

訂購服務 ——————
親子天下 Shopping｜shopping.parenting.com.tw　海外．大量訂購｜parenting@service.cw.com.tw
書香花園｜台北市建國北路二段 6 巷 11 號　電話（02）2506-1635　劃撥帳號｜50331356　親子天下股份有限公司 www.parenting.com.tw

本書獲法國在台協會《胡品清出版補助計劃》支持出版。/ Cet ouvrage, publié dans le cadre du Programme d' Aide à la Publication « Hu Pinching », bénéficie du soutien du Bureau Français de Taipei.

你這麼小

文・圖 **弗羅希安・皮傑**

譯 謝蕙心

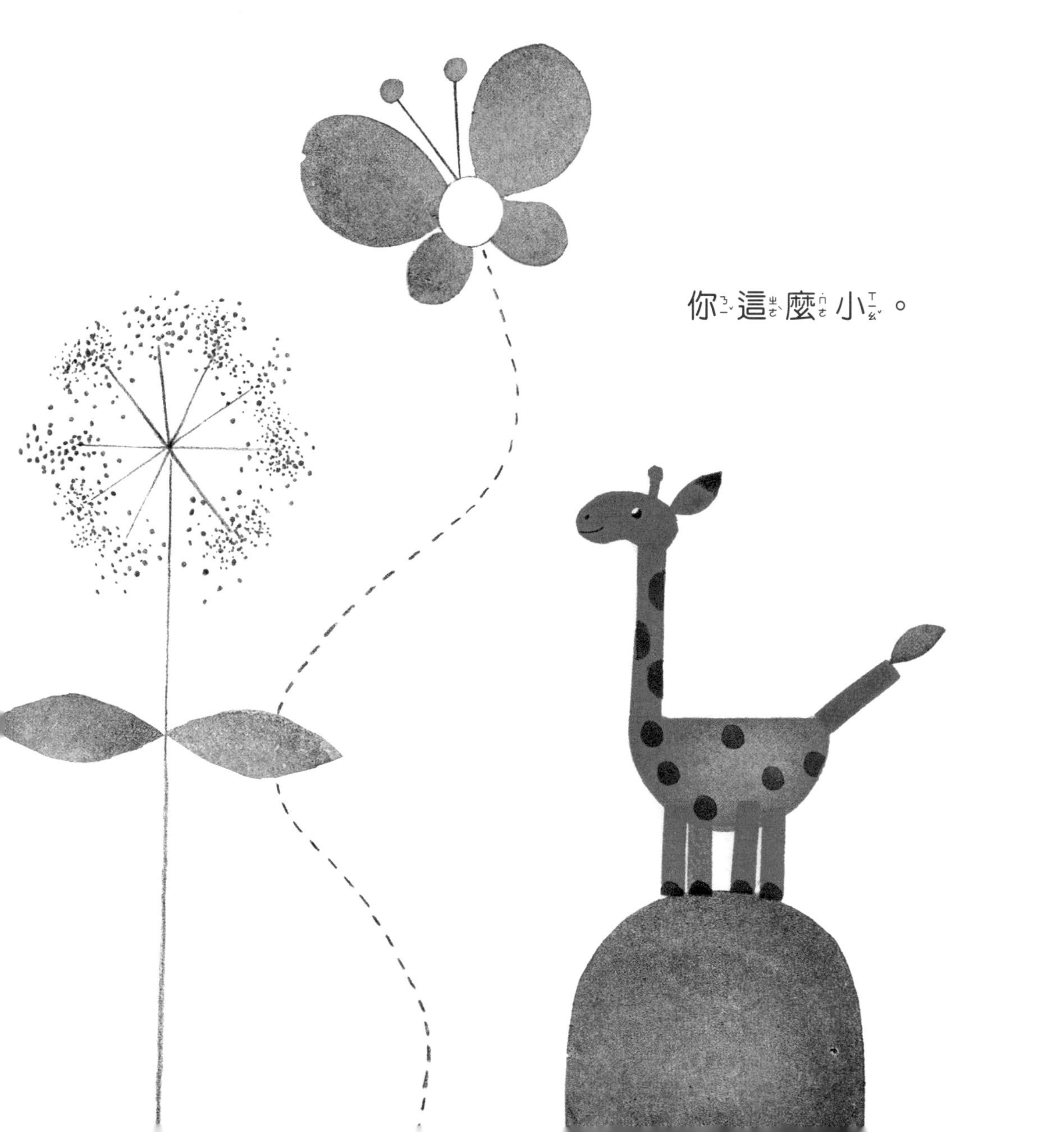

你這麼小。

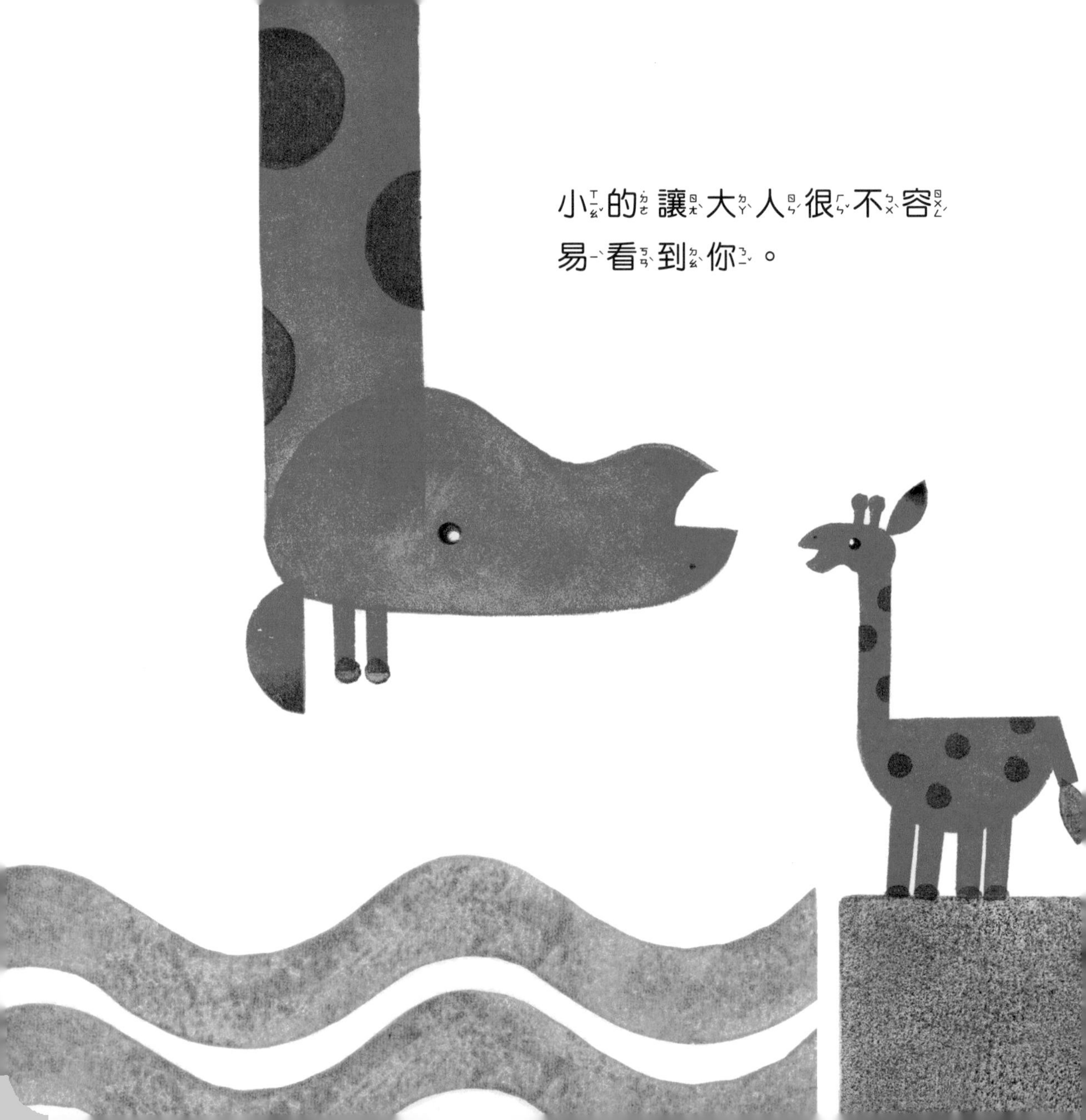

小_{ㄒㄧㄠ}的_{ㄉㄜ}讓_{ㄖㄤ}大_{ㄉㄚ}人_{ㄖㄣ}很_{ㄏㄣ}不_{ㄅㄨ}容_{ㄖㄨㄥ}易_ㄧ看_{ㄎㄢ}到_{ㄉㄠ}你_{ㄋㄧ}。

你小的總能
找到最棒的
地方躲藏。

但是，你面對冒險，卻從不害怕。

你面對未知的世界也不會退縮。

等到該回家時，
你永遠找得到路。

有時候，你喜歡做傻事，
尤其是大傻事。

有時候，
你需要幫助。

有時候，
你也怕黑。

但_{ㄉㄢˋ}很_{ㄏㄣˇ}多_{ㄉㄨㄛ}時_{ㄕˊ}候_{ㄏㄡˋ}，
你_{ㄋㄧˇ}樂_{ㄌㄜˋ}意_{ㄧˋ}幫_{ㄅㄤ}助_{ㄓㄨˋ}別_{ㄅㄧㄝˊ}人_{ㄖㄣˊ}……

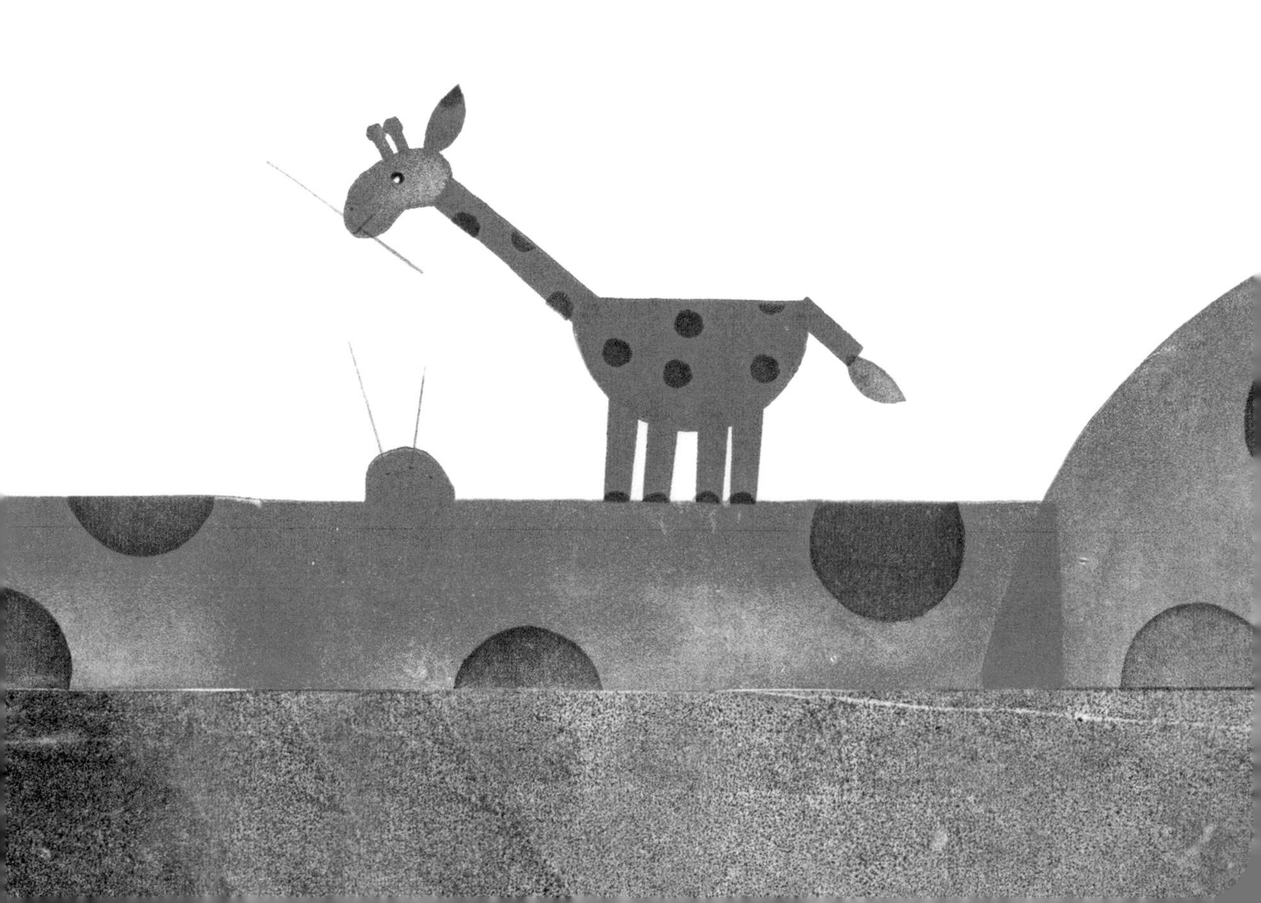

並且以愛互相陪伴。

雖然，你這麼小，
但卻做了這麼多。